Dedicated In Memory of

Who continuously shared her love, knowledge and
commitment to the Ojibwe Language and Traditional Ways

Ngii mdaasoboongiz pii netaawgiyaanh. Ngashi wgii-gshkwaadendam wiiba gii-noonde maajtaa'aanh. Zaam go bangii ngii-piitis biidash aanin kwewzensag.

Gaay gwaya ngii-wiindmawaasii ezhwebziyaanh. Ngii-gajiinsiw go bangii miinwaa nga mchiwe naagdawendiz ngii-wnendam. Ngashi dash ngii-moozhi'ig zhaazhi gii-maachtaa'aambaane gaabi-bmisegin giizhgadoon. Ngii-wiindmaag gchi-piitendaagog maanda ezhwebziyaanh. Gaawiin dash ngii-nsidwenmaasii enji gchi-mnaadenmid. Gchi-kinoomaadwinan dash ekikendigin ngii-wiindimaag. Gii-kida dash wiindawaabamaad nzigosan maage nookmisan waa-miizhid kinoomaadwin.

I was ten years old when I first started my moon time (menstruation). My mother was surprised that I started at a young age. I guess I was a bit younger than most girls.

I didn't tell anyone when I started. I was shy and I thought I could take care of it myself. My mother realized I started a few days into my menstruation cycle. She told me that it was a sacred time of my life. She was happy for me but I wasn't sure why. She shared with me some of the teachings she knew. She then told me that she would find an auntie or grandmother to give me the moon time teaching.

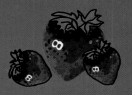

Ngashi gii-bwaajge. Wda-nwendaagnan wgii-bwaanaan Waabgoniiskwe ezhnikaazod. Mii ne'e gaa bwaanaajin ji naadmaagiyaangba.

Mii dash gaa waabang gii-gnoonaad biiyaapkoonsing Waabgoniiskwen. Waabgooniiskwe gii-nkwetwaan Ngashwan aapji ji gchi-nendigiba wii-kinoomoowid. Gii-naaknigewag dash wii-nkweshkadaadwaad waani-bimiseg enji-pwaagnigaawaad.

My mom had a dream. She dreamt about a relative by the name of Lily. In her dream she realized that Lily would be the one who could help us.

The next day my mom phoned Lily. Lily told my mom that she would be honoured to share the teaching with me. They made arrangements to meet at an upcoming pow wow.

Degwaagig pii debshkaayaanh (October 23, 1999) ngii-nkweshkwaanaa Waabgoniis. Awi pii gaa bi-jidseg wii-daapnamaa aanjgiisoo kinoomaadwin, ngashi gii-biidoonan odewminan, seman miinwaa waa tawaagnikaanaad Waabgoniiskwen. Pane go wdaa tawaagnikaanaa gwaya gegwejmind gchi-gego.

Aajkingaansing ngii-nji mawnjidimi. Ndanwendaagnag, ngaashi miinwa bezhig kwezens bijiinag gaa giishtood odeminii-bkadekewin gii-ayaa gewii.

Mashkodewish ntam ngii-biinaakozidzimi. Waabgoniiskwe dash gii-maadaajmo dizhindang gchi-kinoomaadwin.

Ngii-ig wii-mnaadendizyaan miinwaa wii-dbaadendizyaanh epiichtaayaanh bkadekeyaanh.

It was October 23, 1999, my birthday and the day we were meeting Lily. I was going to receive the moon time teaching. My mom brought strawberries, tobacco and a small gift for Lily. It is always good to offer a token of appreciation when asking for something.

We met in a small room at the pow wow. My cousin, my mom and a young girl who had just finished her berry fast were there too.

We all smudged with sage. Lily began to share the moon time teaching with me.

She told me I was sacred and there were many things I could not do during this fast like:

Gaay ge maamdaa wii miijyaanh ode'minan ngo Bboon minik. Gaa ge maamdaa wii miijyaanh ziisbaakdoons ode'mining epagog, msko-doonechgan ge'e.

Gaay ge maamdaa wii-daapnag binoojiin mshi bebaabmsesig. Ngii-znagmigoo maanda wii-zhichgenswaanh azaam bijiinag ngashi gii-yawaan shki-binoojiinsan. Ngii-ndawendam ji gii-toknagba.

Gaa ge maamdaa nini wii-baashkdawag, maage wda-gwin,miinwaa wdi-bendaaswin. Gaay go ngii-wenpanzisii, azaam gii-naan'niwag nwiikaaneyig. Aabdeg dash ngii-gaanzmaag wii-gezbaangdaaswaad ezhi-wdibendaaswaad. Aabdeg gego wii-bzindwiwaad.

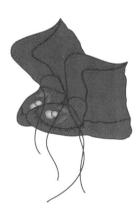

I was not to eat any berries for the whole year. I couldn't even eat anything with berry flavor in it such as strawberry candy, licorice or even strawberry lip-gloss.

I couldn't pick up any baby that was not walking yet. This was going to be hard because my mom just gave birth to my baby brother. I really wanted to pick him up.

I couldn't step over men or their belongings. This was kind of difficult because I had five brothers. I had to tell my brothers to pick up after themselves and they had to listen to me.

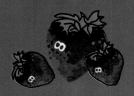

Ngii-nendaagos ngo biboon minik weweni shpiming wii-zhising nmiinjisan miinwaa gaay maamdaa wii-giishkaankwekzowaanh maage go ji tismaambaa nmiinjisan.

Gaay ge maamdaa wii-naayiiyaanh.

Gaay ge maamdaa wii-wiijke'emag gwiiwzens.

Gaay ge maamdaa wii zhaa'aanh enji-maawnjdiding niiwgon mnik, jiibwaa miinwaa shkwaa dis'id giizis.

Memdige gii-baatiinad waa bibaamendziwaanh.
Ngii-bmaadaawgendam ezhi-znagag.

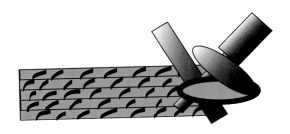

I had to wear my hair up or tie it back and I wasn't allowed to cut it for the year. I couldn't even dye it.

I could not wear make up.

I could not have a boy friend.

I could not attend any kind of ceremony for four days before or after my moon time.

There seemed to be so much that I could not do. I felt that it was going to be to difficult.

Waabgoniiskwe ngii-mkowaamig weweni wii-naagdawendizyaanh epiichi disid giizis.

Ngii-ig wiibwaa zhaanyaanh kinoomaagziiwgamgong wenbig epiichi disid giizis. Noonj go ngii-nda-mnotwaa.

Mii dash gii-ni-zhinaagwog bezhig gegoo mnwendaagziwin wii ke bgidjwebnamaa.Bgizyaanh, pkwaakdokeyaanh, zhooshkwaadeyaanh miinwaa niimyaanh nibishgendaan. Ngii-ndawendam ndawaach wii-bgidnamaa nishnaabegaawin meshkod.

Pii gaa giizhiitaayaang, odewimin wgii-daapnaan, wgii-baashkijiibdoon, mii-dash wgii-shoonang nigatgoong. Aachkingaaning kina eyaajig wgii-gdaanaawaan eshksegin odewiminan. Mii dash gaaymaamdaa giyaabi wii miijyaanh ne'en ngo Bboon minik.

I then had to sacrifice something I really liked. I thought about some of the things I liked to do such as swimming, volleyball, skating and dancing. I decided to give up pow wow dancing.

When we finished, she took a strawberry, broke it and squished it on my forehead. Everyone in the room shared the remaining strawberries. I could no longer eat them from that moment on.

Gaay go msh shkwaa giizhgadsnoo. Wi megwaa dbishkaanyaanh ngitsiimag gii-nookiiwag wii ke ngamtaagoowaanh. Mii gaa maamdaa wii-dgogaa'aanh biimskogaawaad wi gnaa gii-maadseg nmakdekewin.

Jiibwaa maajii-ngamwaad, aw naagaanzid ngii-ig wii-naasmabyaanh Zhawnang nikeyaa.
Waabooyaan gii-bi chigaade shaweying yaa'aanh. Wgii-naawag namjig wii-gaataagaawaad yaa'aanh miinwaa ezhi-ngodwe'aangizyaang. Gegaa go ngii-de agach. Gaay ngii-ndawendziin wii-kikenimigoowaanh megwaa dis'id giizis. Pii meyaajii-ngamwaad kina gechi piitzijig miinwaa gchi-ngodgamig eyaajig ngii-bi nimkaagoog. Aanin eyaajig wgii- bgidnigewag waaboowaaning.

Mii dash wi pii gii-maajii-mnaadendizyaanh.

The day was not over yet. It was my birthday and my parents had requested a birthday song for me. Since I started my fast and gave up dancing, I couldn't dance in the pow wow circle.

When it was time for the song, the Master of Ceremonies told me to sit in the southern direction of the pow wow circle. A blanket was placed beside me. He asked all the Jingle Dress Dancers to dance around my family and me. I felt kind of embarrassed. I didn't want everyone to know I had started my moon time. When the song began, all the elders and community members came to shake my hand. Some of them placed gifts and money on the blanket.

I began to feel special.

Ngii znagendam gbe-biboon. Gaay naangodnang, niikaneyig ngii-bzindaagsiig. Gaay ge mamdaa wii-daapnag nshiimens, aani-ndawendmaa gego.

Ensa waabmag Waabgoniiskwe ngii-kwejmig aanii-ezhi gshki'ewziyaanh bkadekeyaanh. Ngii-aaptoojiinig miinwaa ngii-mkowaanig wii-aabjitaayaanh naagdoowaanh ezhi-ndawendaagziyaanh. Ngii-mnwendmiyig ezhi-mnaadenmid.

The year was kind of hard. Sometimes my brothers would not listen to me. I couldn't pick up my baby brother and I really wanted to.

Every time I would see Lily she would ask me how I was doing with the berry fast. She would give me a big hug and encouraged me to continue. She made me feel special.

Eni-shkwaa mkadekaadmaa odewminan, ngii-maajii-zhiitaash niizhgonn wii-bkadekaadmaa miijim miinwaa nibi. Nookmis ngii zhiitaawsidmaag mshkikiisan miinwaa ngi zhinoomaag waa zhi nakaazyaanh.

Mtigo naagaans ngii-maajiidoon, wii-tooyaanh gechi-piitendaagog miijmens waa bgidnigeyaanh. Bgoji-wiiyaas, giigoon, miinesan, mdaamin miinwaa bgoji-mnoomin zhinkaadenoon niiwin menaajchigaadegin miijmesan. Miinwaa ngii-ni maawnjitoon gegoo waa miigweyaanh pii mnaadjigoowaanh.

My berry fast was coming to an end. I began to prepare for a two day fast from food and water. My grandmother prepared a medicine bundle for me and told me how to use the medicines.

I brought a wooden bowl to place four sacred foods in as an offering. The four sacred foods are wild meat or fish, berries, corn and wild rice. I also had collected gifts to give away at my ceremony.

Waabgoniiskwe endaad ngii-zhiwnigoo, wii-oobkadekeyaanh megwekob. Ngii- dezegendam go. Ngii-kikendaan oodi wii-nchikewziyaanh miinwaa gaay ninagdendziin nchike yaa'aanh megwekob.

Ngii-zhigaadesemi oodi gchi-shkwe'aang endaad. Ngii-oongaanig oodi eshkwaa mkowaamid gegoo wii-dgiswaanh. Ngii-gaanzmig wii-nakaazyaanh mshkikiinsan giishpin ndawendmaa. Aapji gii-bekaate epiichi bkadekeyaanh. Gbeyiing giizhgad ngii-nendam. Ngii-gchi-makwenmaag ngitziimag, niikaneyig miinwaa ndanwendaagnag. Aapji ge ngii-gaasknaabaagwe miinwaa ngii-bkade.

My parents brought me to Lily's. I was going to fast in the bush behind her house. I was kind of nervous. I knew that I would be alone out there and I was not used to being in the bush by myself.

We walked a long way behind Lily's house. She left me there and told me I would be okay. She told me to use the medicines when I needed them. It was so quiet when I was fasting. The day seemed to last forever. I thought about a lot of things like my parents, my brothers and my cousins. I was thirsty and hungry too.

Aapji go ngii-mnwendam Waabgoniiskwe gaa waabmag wii-binaazhid neyaab wii-zhiwzhid endaad.

Gaa shkwaa bkadekeyaanh, Waabgoniis ngii-gziibiigzhenig giishkaandigwaaboong. Ngii-kaadenmaag nmiinjisan miinwaa ngii-miinig mgizo miigwaansan. Ngii-mnokinoonig waawiindmowid gaazhi mnodoodmaa.

I was so happy to see Lily when she came to bring me back to her house.

When I finished my fast, Lily gave me a cedar bath. She braided my hair and gave me a small eagle plume. She encouraged me with kind words and told me what I had done was good.

Nchike ngii-baabiitoon aajkinigaansing epiichi dgoshnawaad waa bi mnaadchigejig.

Gii-maadkamgad. Mii dash ni jidseg wii-biindge-gaataagaa'aanh, nookmis ngii-naadmaag. Ngii-wiikendbepis epiichi biindge-gaa'aanh. Ngoding ngii-ke biimskogaa miijim teg jiibwaa bmigaadeg nwiikwendbepzowin. Ngii-aabji-gaami nsing giyaabi nookmis gaye. Noos dash ngii-mnaadenmig mgizo-miigwansan.

I had to wait alone in a quiet room while everyone arrived for the ceremony.

The ceremony began. When it was time for me to join the circle, my grandmother helped me. I had to cover my head with a towel when I came dancing into the circle. I danced around the feast food once then the towel was removed from my head. I continued to dance around three more times with my grandmother. I was honoured with a large eagle plume from my father.

Mii dash pii jiibwaa mnogoonwaanh nibi, gaay ngii-daapnamaagesiin nsing mnik nching. Aapji ntam sa gii-daapnazwaanh mii binoojiinyag nji, eko niizhing nookmisag nji, eko nsing ninwag nji, mii dash eko niiwing bijiinag niin gii-mnokwe'aanh. Aapji-sh go memdige ngii-gchi-nendam pii eshki wiisniyaanh. Mii ngo-biboon mnik gii bkadekaadmaa miinesan. Aapji ngii-maamiigpijge.

Mii-sh gii-zhiseyaanh wii-miigweyaanh gaa yaamaa, kina bebezhig eyaajig gii-daapnaanaa'aa eteg miingozwin. Kina gwaya ngii-bi-mnowaankaanig zginjiizhid. Ngitziimag gii-miigwechwi'aawaan Waabgoniiskwen zhi-ngodwe'aangizwaad gaa zhi wiidibangewaad.

When it was time to take a drink of water, I had to refuse it three times. The first time was for children, the second time for the grandmothers, the third time for men and on the fourth time I could finally take a drink. I was so happy to eat berries for the first time in a year. They were so tasty.

I then had my giveaway. I gave gifts to everyone who was there. Everyone shared words and encouraged me. My parents really appreciated Lily and her family for all their help.

Ngii-nsastamoongoo dash ezhi gishkaagod kwe gshki'ewziwin endsa ngo-giizis. Mii wi pii aanji maajiigninig wenjishing mshkowziiwin. Memdige pii kwens ntaawgid, zoongziwin gaataawshkaagon. Awashme biininaagdini eyaang zoongaadziwin.

Wenji mshko-naagdood dash kinoomaadwin, wenjishing mshkoziiwin `gishkaan, wdaa mzhinaan sa gegoo. Giishpin mjignaad shki-binoojiinsan, wdaa daapnamwaan ezhi mnognid. Binoojiins wdaa zheshkaa ji gii bmosepa wiiba, maage giigdad wdaa zheshkaa, gegoo sa go wi nikea.

Giishpin ge ninwan baashkdowaad wda-gwinan gaye, wdaa mzhinaan go geyii ne'e. Wii-daapnamwaan ezhi mshkowaadzinid. Mii go geyii naasaab enji-namaawaad nishnaabeg. Wegdagendig go wenjishing menaachigaadeg wdaa mzhinaan.

It was explained to me that a woman is so powerful during her moon time. It's a time when energies are being rebuilt. When a woman starts her moon time for the first time, her ora is very strong. It is much more powerful because she is so pure.

The reason for all the firm rules is because energies would be affected all around her. If she holds a new born baby, she is capable of take some of that baby's energy and delaying it in some way such as walking or talking.

If she steps over men or their clothing, she could affect them and take their energy. The same reason goes for attending ceremonies. What ever the ceremony may be meant for, she is capable of taking that energy too.

Gaay gegoo ndizhi maanaadenzii geyaabi zhaanswaanh enji-dnakmigziwaad nishnaabeg dewegewaad miinwaa jiingdamwaad. Dbik-giizis ensa ngo-giizis bi disigod kwe mnaadendaagwad. Gookmisnaa gwiijbisoomaanaa. Gaay gegoo awashme mnaadendaag sinoo maampii gidkamig biidash wi pii Gookmis bi dis'ig. Mii dash wi enji gchi-mnaadenmindwaa Gookmisnaanig enji-dnakmigziwaad nishnaabeg. Mnaadenmaawag ezhi gchi-gshke'ewziwaad maanda kwewaad. Kwewag miigwenaawaa bmaadziwin. Kwewag mshkikiiwziwag.

Geget nmiigwechwiwaag kina ge'e neyaagdewendigig gchi-kinoomaadwin wi ni aabjiseg, memdige go Waabgoniiskwe.

I don't feel so bad when I have to miss ceremonies or pow wow's anymore. Moon time is a ceremony. During moon time we visit our Grandmother. There is no higher honor in the world then to sit there and be honoured by your Grandmother. That is why at ceremonies, Grandmothers are so highly honoured. They are honoured because of their power as women. Woman can give life. Women are medicine.

We give thanks to all those who are keeping these traditional ways alive and especially to Lily.

Glossary

Page 1
gchi-mnaadendmaa	with my greatest respect
minode'e	having a good feeling from the heart
nendmaa	my thoughts
ntaawgiyaanh	my first moon-time
mnaadjigooyaanh	my special ceremony/my celebration
gshka'waadendam	is surprised/unexpected event or startled
nzigosan	my aunt
nookmisan	my grandmother
kinoomaadwin	a teaching
biidash	then, this, as in younger than most
agaji	shy, is shy timid
naagdawendiz	care for myself
ekikendigin	what is known

Page 2
bwaajge	he/she dreams
wda nwendaagnan	his/her relatives
wiitwaasan	cousins
ji-naadmaagiyaangba	one who can help us
gnoonaad	talks to
biiyaapkoonsing	telephone wire
nkwetwaan	he/she replies (yes)
naaknigewag	they planned
kweskadaadwaad	meeting with another person
waani-bimiseg	time coming up, or next few days
paawaagnigaawaad	pow wow, dancing; derived from Pwaagan (pipe)

Page 3
degwaagig	at fall time
debshkaayaanh	on my birthday
gaa-bi-jidseg	when time came
wii daapnamaa	to take
gisoo-kinoomaadwin	moon-time teaching
waatawaagnikaanaad	to give a gift or token of appreciation
gegwejmind	one who is asked for a favor
aajkingaansing	a small room
mawnjidimi	our gathering place/meeting place
gaa giishtood	who finished
odeminii-bkadekewin	berry fast
mashkodewish	Sage
ngii-biinaakzodzami	we cleansed
gii-maadaajmo	began to speak about
dizhindange	talk about

Page 4

mshi bebaabmsesig	yet not walking
znagmigoo	hard to do for me
toknagba	to have held him/her
baashkdawag	step over or pass over top of
wdagwin	his/her clothes/garments
wdi-bendaaswin	his/her belongings
wenpanzisii	not easy
gaanzmaag	told them to do/sit
gezbaangdaaswaad	to tidy up their belongings
bzindwiwaad	to listen to me, to give heed

Page 5

ngii-nendaagos	I was expected to
wii-zhising	to set up properly
giishkaankwekzowaanh	to cut hair
tismaambaa	to tint or color hair
naayi'yaanh	to put make up on
gnamaagoo	not allowed to
wiibwaa	not to
wiijke'enmaa	to be friends with
wiindmaagoo	was told to
nishnaabe'gaawin	native dancing or at the pow wow
jiibwaa	before
shkwaa	after
w'disid	visit
dbig-giizis	moon, moon-time
paamendziwaanh	not able to do things

Page 6

mkowaamig	to remind/to be cautious reminder to be careful
kinoomaagziiwgamgong	at school
mnotwaa	she/he sounds good
zhinaagwog	looks like
mwendaagziwin	fun things
bgidjwebnamaa	to stop for a while
nbishgendaan	I like
bgizyaanh	swimming
pkwaakdokeyaanh	playing ball
zhooshkwaadeyaanh	skating
niimyaanh	dancing
bgidnamaa	to let go
giizhiitaa	finish
baashkijiibdoon	squash, to squish
shoonang	smear

ngatgoong	on my forehead
eyaajig	people that are there
miijnaawaan	they ate them
eshksegin	some are left over, rest of them
ngo-biboon-mnik	for one whole year
goo boontaayaanh	I stopped/I quit

Page 7

shkwaa giizhgadsnoo	day not over
dbishkaa	birthday
biimskogaawaad	dancing in circle
nmakdewin	my fast
ngodwe'aangizyaang	my family

Page 8

nwiikaneyig	my brothers
ngii-bzindaagsig	did not listen
aani-ndawendmaa	the way I want
mkowaamig	remind, encouraged me
wii-aabjitaayaanh	to keep on
ezhi-ndawendaagziyaanh	what I'm supposed to do
ngii-mnwendmiyig	made me feel good, or feel special

Page 9

zhiitaawsidmaag	prepared my
bgidnigeyaanh	my offering
gtaajyaanh	my fears
gechi-piitendaagog	sacred, or special
waa-miigweyaanh	what will I give away
mnaadjigoowaanh	my ceremony as in being treated special

Page 10

megwekob	in the bushes
ngii-dezegendam	I was afraid of/nervous
nchikewziyaanh	alone
ngii-ngadenziin	I wasn't used to
ngii-zhigaadesemi	we walked to
wii-digiswaanh	nothing will go wrong with me
ngii-gaanzmig	encouraged me to do
gii-bekaate	It was quiet
gbeying	a long while, it was long
mkwenmaag	thought about them

Page 11

wii-binaazhid	to come and get me
wii-zhiwzhid	to bring me
ngii-gziibiigzhenig	gave me a bath
giishkaandgwaaboong	in cedar water
kaadenmaag	braiding my hair
mnokinoonig	good, talk to me
gaazhi mnodoodmaa	good to myself

Page 12

dgoshnawaad	arrival of…
wiikendbepis	cover my head

Page 13

mnogoonwaanh	give me a drink
ngii daapnamaagesiin	did not take it from them
gii-mnokwe'aanh	I took a drink
maamigpijge	he/she eats very tasty food
miingozwin	gifts/give away

Page 14

ngii-nsastamoongoo	they explained to me
ezhi gizhkaagod	what you are born with – inner self
gshki'ewziwin	power, ability
mshkowziiwin	strengthened with power

Page 15

maanaadenzii	does not feel good about
jiingdomwaad	native dancing
gwiijbisoomaanaa	in motion with/moves with
mnaadendaagsinoo	no higher honour
gidkamig	on earth
paawaagnigaawaad	pow wow dancing
neyaagdewendigig	people who carry on traditions, a way of life.

It is my hope that the information in this story provides an enhanced understanding of menses especially to young women in our communities and around the world.

The following is an explanation for certain practices. Please keep in mind that this 'rights of passage' ceremony various amongst aboriginal communities in North America.

- Tobacco is given when you ask for something. It could be offered to a person, an animal, a plant, to the water, to the creator or any thing you may feel is appropriate.

- A gift is given out of respect when you ask for something.

- Berry fast – to fast from all berries for a year.

- Smudge – a form of cleansing. As you burn the medicine, you can brush it onto yourself. The four sacred medicines are; Tobacco, which represents the eastern direction, sweet grass, represents the southern direction, sage represents the western direction and cedar represents the northern direction. Each direction has a colour. Yellow represents east, red represents south, black represents west and white represents north. Each of these directions also represents the four colours of man as well as many other things.

- The reason for not picking up a baby and not step over males or their belongings is because women are considered very powerful especially in her first year of menses. They are rebuilding their energies and are capable of taking from others.

- Sacrificing things such as not wearing make-up, to tie hair back, not cutting your hair, not eating berries and not having a boyfriend are all disciplinary actions.

- Being marked with a strawberry on your forehead states a beginning of the first day of a fast.

- Pow wow is a traditional gathering of drums and dancing

- Jingle dress is also known as a healing dance. It's a form of pow wow dancing.

- Elders and community members give gifts in appreciation for one who sacrificed their time.

- Medicine bundle consists of the four sacred medicines and other earned or personal items

- Cedar bath – Cedar is boiled, cooled and used to wash with.

- Giveaway ceremony – to give gifts to participants who will accept on behalf of the spirits.

- The reason for one to cover their head with a cloth/towel – It is forbidden for anyone to see the person who fasted until the significant moment. They are considered very sacred after partaking in this ceremony.